KB103197

구원은 비로소 우주를 湧昇하여

발 행 | 2024년 03월 13일
저 자 | 노아 (@officially_nox)
펴낸이 | 한건희
펴낸곳 | 주식회사 부크크
출판사등록 | 2014.07.15(제2014-16호)
주 소 | 서울특별시 금천구 가산디지털1로 119 SK트윈타워 A동 305호
전 화 | 1670-8316
이메일 | info@bookk.co.kr

ISBN | 979-11-410-7632-0

www.bookk.co.kr

구원은 비로소
우주를 湧昇하여

차례

승아.

미지의 세계에 대한 인간의 열망은 본능이라 말했던가.
반짝이는 별들이 참으로 궁금했다는 너의 말 한 마디에
나 역시도 그 우주라는 하나에 뛰어들었다.
잡을 수 없기에 간절했고 어느새인가 어둠에 묻혀 사라져버린.
목놓아 바라보는 나의 이데아, 차마 닿을 수 없었던 넌 나의 진심이었다.

이 짧은 생을 어찌 너를 빼고 설명할 수 있을까.
고마워, 당신 덕분이야.
망망하고 존재만으로는 위태하던 삶이라는 조각에 노력을 가미하게 된 것은.
대단하지 않아도 이 모든 걸 활자에 옮기겠다 마음 먹게 된 것은.
표현의 방식이 넘쳐나는 광활한 우주에서 내가 활자를 택한 이유는
열심히 살아있고 부닥쳐야 할 것이 많은 너에게
그나마 가장 오래 남길 수 있는 산물이 아닐까 싶었어.

진부한 소재, 진부한 단어, 진부한 문장, 진부한 단락.
빈난하고 보잘것없는 이 글이라도 읽고 미소 띠어 주겠니.
사랑해 라는 세 글자에 너를 담기에는 나의 연정이 숨이 막히도록 크다.
널 향한 애열을 완전하게 담지 못하는 부족한 기교를 용서해줘.

승아, 부디 그 자리에서 오래도록 반짝여주길.
난해한 이 세상에서 나 역시 너를 본떠 반드시 용감하게 승리할 테니.

너를 외사랑하는 어떤 이가,
네가 사는 세계와 같은 우주의 다른 어딘가에서.

너 하나를 빙자한

세계의 모든 타인에게 사랑에 빠져버린

希望 을 切望 하는 이들을 위하여.

제1장 宇宙

우주에 떠도는 어떤 단어를 가져와보아도

나는 아직까지 널 이르는 구절을 정의하지 못하였다.

아마도 이 세계는 너를 담을 수 없을 만큼 작을 테다.

우주

[좁은 의미]

우리가 관찰 가능한 물리적 세계를 나타내는 것. 우리가 볼 수 있는 별들과 은하들, 그리고 관측 가능한 우주적 현상들을 포함한다.

[넓은 의미]

우리가 사는 모든 존재와 그것을 포함하는 모든 공간. 일반적으로 우주를 형성하는 모든 천체, 별, 행성, 은하, 암흑 물질 등을 포함하는 넓은 공간을 의미한다. 때로는 우주적인 시간과 공간을 가리키는 데 사용되기도 하는데 물리학에서는 우주는 시공간과 관련된 모든 것을 포함하는 개념으로 사용된다. 생명체, 별, 행성, 우주, 그리고 네가 전부 우주의 일부이다.

별을 동경하던 어렸을 적 너에게
우주는 닿지 못할 공간이라고
차마 알려주지 못했다.
평생을 풀어도 해답이 없는 문제의 정답이 우주라는 걸
차마 알려주지 못했다.

하지만 네게 우주는 0이라고 말한다.
아무것도 존재치 않아서 0이 아니라,
무한한 것들을 차마 담지 못해 0인 것이라고.

우주

[심상적 우주]
우리의 내면 세계를 나타내는 상징적인 공간. 우주를 통해 사람의 감정, 상상력, 꿈, 욕망 등을 탐구하고 표현한다.

[미지적 우주]
우리가 이해하지 못하는 미지의 영역. 모험, 발견, 탐험의 공간으로서의 역할을 수행할 수 있다.

[존재론적 우주]
존재론적인 고찰의 대상. 우주의 무한성과 엄청난 규모는 종종 우리의 존재와 우리가 살아가는 의미에 대한 질문을 던지는 데 사용된다.

[환상적 우주]
현실적인 제약을 벗어나 자유롭게 상상력과 판타지를 탐구하는 공간.

안녕 너의 어제야,
타임머신을 타고.
꿈을 쫓는 어제의 네게
전해야 될 얘기.

희망을 말하는 그대여,
그대에게 비친
우주를 동경하는 소년은
어디로 향하고파 하나요.

* Hello Mr. my yesterday 中 인용 및 변환

0

[정수로서의 0]
정수 집합에 속하는 숫자 중 하나. 어떤 수와 그 수의 역원을 곱하면 항상 1이 된다.

[자연수로서의 0]
원칙적으로 자연수의 집합에는 0이 포함되지 않지만 자연수의 개념을 확장하여 0을 포함하는 경우도 있다. 이 경우 0은 "자연수의 시작"이라 여긴다.

[정의역의 영원]
함수 이론에서, 어떤 함수의 정의역에서 정의되지 않는 값을 나타내는 데 사용된다. 함수의 정의역에 속하지 않는 입력값에 대한 출력값은 종종 0으로 정의된다.

[널 집합의 크기]
집합 이론에서 원소가 하나도 없는 집합을 "널 집합"이라고 하며, 이 집합의 크기를 0이라 한다.

[연산의 항등원]
어떤 값에 더하여도 그 값이 온전히 본인의 값을 유지하게 만드는 값을 이른다.

너는 무엇 때문에 0을 사랑했는가.
그래서 무 (無) 마저 사랑했던가.

0의 개념을 정의하고
공허에마저 의미를 부여하였던

너는 너의 가치를 기꺼이 나눌 만큼 방대하다.

0

[무의미나 공허함]

아무런 가치나 의미를 가지지 않는 상태를 나타내는데 사용된다. 이는 존재나 사건의 무의미함, 비어있는 존재, 공허함 등을 표현하는 데 사용될 수 있다.

[부정 또는 결핍]

존재하지 않는 것들에 대한 부정적인 의미를 나타내는데 사용될 수 있다. 사랑을 받지 못한 상태, 인생에서의 결핍, 불안정한 상황 등을 나타낼 수 있다.

[불완전함]

완전하지 못한 상태를 나타내는 데 사용된다. 존재의 미완성, 이야기의 결말의 불확실성, 혹은 희망이나 목표의 부재 등이 포함된다.

누군가 너를 무어라 정의할 것인고 묻는다면

감히 0과 반대되는 존재의 무언가라 답하겠다.

무의미를 채울 수 있는 의미

공허를 채울 수 있는 충만

부정을 채울 수 있는 긍정

결핍을 채울 수 있는 만족

불완전을 채울 수 있는 완전

너는 0을 사랑했다.

우리은하

지구를 포함한 태양계가 속해 있는 은하. 약 1000 억 개 이상의 별과 여러 가지 천체들로 구성되어 있다. 그 중에서도 태양과 행성들이 속한 중심부 근처의 영역을 은하의 중심으로 보통 생각합니다. 우리은하는 대규모의 별들이 중력에 의해 서로 끌려 모여 있는 거대한 천체이며, 우리가 알고 있는 모든 별들 중에 하나다.

언젠가 너에게 물어보고 싶다.

너는 우리은하에 속한 존재 중에 무엇이 좋냐고.

하나의 태양,

여덟 개의 행성,

이백 개가 넘는 위성,

그를 상회하는 항성.

그 중에 네가 가장 좋아하는 것의 이름을 따다가

너에게 붙여주고 싶다.

감히 예측해보자면,

네가 가장 좋아하는 것은 별이겠지.

인간은 원래 저와 같은 존재에 끌리는 법이다.

별자리

[겨울철 별자리]

오리온자리 (Orion) : 베텔기우스, 레게루스.

토머스핸드 (Orse Major) : 큰곰자리 빅데프, 아크투루스

토머스케넌리스 (Gemini) : 카스토어스, 폴룩스

카나자리 (Cancer) : 여름 그리고 겨울

사랑이라는 건 뭘까?

네가 사랑하는 겨울과 오리온자리,

또는 그와 정반대의 자리에 존재하는 무언가.

너는 그걸 사랑이라고 불러.

블랙홀

[사전적 정의]

항성이 충분히 큰 질량을 가지고 있어서 핵 폭발 후에 중력이 더 이상 항성의 붕괴를 막지 못할 때 형성된다. 이것은 우주에서 질량이 매우 큰 항성이 그 자신의 중심으로 무수히 많은 물질을 압축하여 핵 폭발로부터 나오는 빛과 열 에너지가 핵 내부의 중력에 의해 계속 압축된다는 사실로 설명할 수 있다.

번쩍이는 빛무리로 눈이 아리게 점화하는 너는

대체 몇 개의 블랙홀로 이루어져 있는 걸까.

이토록 강한 중력으로 나를 끌어당기는데.

소중력

검색 결과가 존재하지 않습니다.

So gravity

너를 마주한 순간

시린 아픔이 쌓여서 텅 빈 시간을 견디고

별이 빛나는 순간
꿈꿔왔던 이 순간

So gravity

* 소중력 (So gravity) 중 발췌

야행성

[사전적 정의]

태양계의 행성들과는 달리 주위를 태양 주위를 반대 방향으로 돌고 있는 천체. 태양 주위를 도는 행성들은 모두 동일한 방향으로 공전하고 있지만, 야행성은 이와 반대 방향으로 공전한다. 태양계에서는 몇몇 야행성이 관찰되는데, 가장 유명한 야행성은 금성이다.

가장 찬란한 별은 가장 어두운 밤에 빛나는 별이니까.

너는 밤에 회전하는 별,

찾아내긴 힘들지만 무엇보다 아름다운.

너를 사랑한다는 건

감히 쥐어서는 안 될 아름다움을 차지하려 객기를 부리는 것일까.

그래, 그러니까-

내가 아드니스 할게, 네가 비너스 해.

* 아드니스 (Adonis) : 그리스 로마 신화의 등장인물.

비너스와 사랑을 하였으나 죽임을 당한다.

궤도

[사전적 정의]

천체가 운동하는 경로. 특히 우주에서 행성, 위성, 혹은 우주선이나 인공위성이 지구나 다른 천체 주위를 움직이는 경로를 말한다. 궤도는 중력에 의해 결정되며, 천체의 질량과 속도에 따라 형성된다. 종종 천체가 운동하는 경로가 원모양이거나 타원형일 때 특히 빈번히 사용된다.

태양을 공전하는 행성들은

어떤 격변이 일어나더라도 태양에 닿지 못한다.

너무 뜨거워 녹아버릴 테니까.

그렇다면 그냥 불규칙한 궤도의 명왕성이 될게.

너에게 대책 없이 다가가

암석으로 이루어진 온몸이 불타 녹아버린대도.

무지와 이단

[천동설과 지동설]

갈릴레오는 17 세기 초기에 아리스토텔레스의 가르침에 반대하며 지구가 태양 주위를 도는 산문을 발표했다. 당시에는 아리스토텔레스의 우주 모델이 통용되었는데, 이는 지구 중심의 우주 모델이었다. 그러나 갈릴레오는 자신의 천문학적 관측과 지식에 기초하여 지구가 태양 주위를 돈다는 본격적인 증거를 제시했다. 그의 주장은 당시에는 교회의 엄격한 반대를 받았다. 로마 가톨릭 교회는 그의 주장을 이단으로 규정하고 그의 강요를 받게 하며 이후에는 교회에서 옥살이를 명령하기도 하였다. 그러나 과학적으로 그의 주장은 옳았으며 지구가 태양 주위를 돈다는 갈릴레오의 이론은 후에 증명되었고, 이는 당대의 천문학에 혁명을 일으키며 지구 중심의 우주 모델을 완전히 뒤엎게 되었다.

"그래도 지구는 돈다."

세계의 끝은 어떤 모양일까.

고대 인간의 무지는 세계가 평평하다 생각했지.
우주 따위는 존재하지 않을 거라 생각했어.
세계의 끝으로 가면 끝없는 절벽이 존재할 거라고.
그 절벽 아래로 떨어지면 결국 흔적도 없이 사라지는 거라고.

우주의 끝은 어떤 모양일까.

나의 무지는 우주가 측정조차 못할 정도로 방대하다 생각했지.
나 따위가 너에게 닿을 수 없을 거라 생각했어.
우주의 끝으로 가면 비로소 너를 만날 수 있을 거라고.
하지만 우주에 발을 들이자마자 숨이 멎어버릴 거라고.

너는 어찌 생각하니?

천체

[유성우 (Meteor Shower)]

일정한 시간 동안 하늘에서 여러 개의 유성이 나타나는 현상. 일반적으로 일정 기간 동안 지구가 특정 운석 떼의 궤도를 통과할 때 발생한다.

[혜성 (Comet)]

얼음과 먼지로 이루어진 우주 천체. 태양 주위를 고속으로 움직이며 대기권으로 진입할 때 아름다운 꼬리를 가진다. 일정한 궤도를 따라 우주를 돌아다니며, 대부분의 경우에는 태양 근처를 지나가는 때에만 지구에서 관찰된다.

[운석 (Meteorite)]

우주에서 지구 대기권으로 들어와서 속도를 빠르게 줄이고 공기 저항으로 인한 열로 인해 불타며 빛나는 운석. 대기 중에서 불타다가 지구 표면에 도달하여 땅 위에 떨어지면 이를 운석체라고 한다.

떨어지는 유성우를 바라보면서

꼬리에서 불을 내뿜는 혜성을 바라보면서

우리가 서 있던 그 자리에서 충돌하는 운석을 바라보면서

우리 그냥 낭만으로 종말할래?

계절

[사전적 의미]
지구의 자전과 공전으로 인해 발생하는 기후 변화로 인해 변하는 기후적 상태. 지구의 자전축 기울기와 공전 원리에 의해 결정되며, 북반구에서는 남쪽으로 기울어진 자전축으로 인해 겨울에는 태양이 낮게 뜨고 여름에는 태양이 높게 뜨는 반면, 남반구에서는 그 반대가 발생한다.

너에게 한 번 물어보고 싶다.
봄과 여름, 가을과 겨울.
우주 또는 태양과 지구가 합의한 네 개의 계절을
너는 어떻게 순서대로 나열할래?

원에는 꼭짓점이 없다.
사각형이나 삼각형 마냥 그리는 순서도 없다.
마음대로 휘갈겨도 상관 없다.

봄 - 여름 - 가을 - 겨울.
여름 - 가을 - 겨울 - 봄.
가을 - 겨울 - 봄 - 여름.
겨울 - 봄 - 여름 - 가을.

그릴 수 있는 네 종류의 원 이외에
다른 무언가를 그리겠다는 답을 내놓아
원이 아닌 별을 그리더라도
나는 그러려니 하련다.

맹목적인 내게 네 말은 우주의 법칙보다 옳다.

네 개의 계절을 순서대로 나열해 보시오.

숨이 막힐 만큼 당신을 뜨겁게 사랑한 여름 지나
서로를 보는 눈이 메말라갈 만큼이나 건조한 가을
그대의 부재로 인해 비로소 필요를 느끼는 차가운 겨울

그리고 그 후에 맞는 최후의 봄.

제2장 救援

시대는 낭만을 상실하며

그대를 부를 수 있는 이름마저 앗아갔다.

너의 모든 것이 좋았다.

이를 테면,

엎드려서 휴대폰을 하지 않기.

라면이나 가공식품 같은 건강하지 않은 음식을 먹지 않기.

매일 스트레칭 하기.

좋아하는 언어를 배우기.

새로운 것들에 도전하기.

널 사랑하게 만든 나를 그 수렁에서 꺼낼 수 있는 건

정말 아무것도 존재하지 않았다.

차라리 건강하지 못한 사랑이었다면

악의 유혹이라 부정이라도 했을 텐데.

악마는 가장 기억에 남는 계약자의 품에서 죽는다 한다.
저승사자는 평생 망자가 사랑했던 이의 얼굴로 그를 데리러 간다.

그렇다면 나는 그냥 네 품에서 죽으련다.
아니, 네가 내 품에서 죽는 것이 나으려나.
무엇이 더 고통이 덜 하려나.

내가 네 품에서 죽는다면
그것마저 하나의 구명일 테고,

네가 내 품에서 죽는다면
나는 너를 안고 차가운 바다로 뛰어들 테다.

그리고 이런 생각을 하는 나는 하나가 아닐 테지.

도망쳐서 도착한 곳에 천국은 없다지만

그곳이 너라면 이름을 낙원이라 하겠다.

천국에 사는 이들은 어떻게 행복하기만 할까.
우리의 뇌를 각성시키는 무엇도 없는데,
어떻게 모두가 고통 없는 도원향을 갈망하는가.

내가 갈망하는 너라는 이름의 유토피아에는
뇌를 뚫어 도파민을 공급하는 장치가 있는 게 분명하다.

나의 필력이 너에게 닿기도 전에 퇴색하면 어떡하지.

내가 뱉는 단어의 추진력이 네 눈에 보이기도 전에 사라지면 어떡하지.

일단 뭐라도 적어내려가야겠다.

치졸한 강박이 아닐 수 없다.

네가 내 꿈에 찾아 왔다.

자의인지 우연인지는 중요하지 않다.

후자일 테지만 그냥 전자로 생각하련다.

네가 꿈에 나올 때마다 이런다.

그냥, 중독이다.

굳이 끊으려고 노력하고 싶지도 않다.

이미 중독되어 버린 뇌가 제시하는 일련의 증거일 뿐이다.

건강한 존재와 불건강한 존재는

어떻게든 이어지는 법이다.

구원이라는 자가 항상 동반하는 것이 신이다.

신이 그리도 편파적인 분이셨을까?

내가 너를 충분히 사랑하지 않아서

너의 실재를 보지 못하게 하시는 걸까?

아닌데.

나한테 기회를 단 한 번만 준다면

항소할 것들이 정말 많은데.

내 눈 앞에 존재하지 않는 너를 바라보는 환각,

네 목소리가 들리지 않아도 소리로 널 구분하는 환청,

어느 순간 네가 내 옆에 있다 주장하는 망상.

'만약'이라는 약은

왜 이리 쓰이는 곳이 많은지 모르겠다.

도망치는 나날에

처방된 약이 너라면

그냥 삼켜버릴래.

왜, 독약도 약이잖아.

내가 사랑한 넌,

한여름에 앓는 지독한 열병이었다.

어느 날 악마가 속삭인다면.

네가 사랑하는 그이가 가질 평생의 영광을 담보할게.
대신 너의 목숨을 대가로 내놓아.

나의 심장 한쪽이 너로 인해 이미 도려졌더라도
남은 것이라도 피 한 방울까지 긁어모아 기꺼이 상납할게.

부디 넌 꺼지지 말고 영원히 빛나.

네가 악마라면 어떤 얼굴을 하고 있을까 생각한 적이 있다.
악마는 사람을 홀려야 하기 때문에 정말 잘생겼다 하던데,
너를 닮은 악마의 모습은 그저 너일지도 모르겠다.

너는 악마라는 이름으로 변모하여
엎어져버린 희망을 맨발로 걷어차다가
황폐해진 방의 침대 머리맡에 발목을 묶는다.

수 년 뒤 누군가가 그 광경을 목도했을 때
그리하여 어찌 이리 되었냐 묻는다면
무언의 해명으로 구원에 목을 메었기 때문이라 한다.

참으로 지독한 상상이다,
안 그러니.

나는 (I)

너를 (you)

사 (die)

랑 (with)

해 (do)

I do die with you.

나는 너와 함께 죽는다.

인간이 한순간에 변하면 세계가 멸망한다던데,

나의 세계는 곧 종말할 것인가보다.

절명을 갈구했던 나는

구원을 갈구하고

무상감에 빠져 죽어가던 나는

간절함을 품고 개화해 살아나니

너는 내 세계를 폭파하기 위해 떨어진 거대한 운석인가보다.

내가 최고로 높은 곳에 올랐을 때

비록 네가 내 어깨를 잡고 밀어버린다 해도

미워하지 않을게.

사랑하는 이를 어찌 증오할 수 있겠니.

함께, 혹은 나의-

추락을 도모해도 사랑해.

단 한 번만 기회를 준다면

난 필히 살아날 자신 있다고.

절해의 끝에서 너를 외치자

그럼 살라며 네가 내민 건 구원을 빙자한 추락일 뿐이었다.

추락하는 나는

어쩌면 미소 짓고 있었는지도.

나의 추락은

온전히

너를 위한 것이다.

절망에 목을 매겠다,
너를 위해서라면 기꺼이 추락하겠다.

자의로 인한 긍정에 겨운 부정의 말을 뱉어보았자
네가 내게 시키는 건 긍정의 말이라면

희망에 목을 매겠다,
너를 위해서라면 기꺼이 비상하겠다.

타의로 인한 부정에 겨운 긍정의 말을 뱉어야겠지.
생각보다 나쁘지 않을지도 모른다.

나랑 바다 보러 가자.

별빛 쏟아지는 바닷물에 발 담그고
산산히 부서지는 달빛으로 장난치자.
물은 뿌리지 않을게.
뾰족한 별을 너에게 뿌리면 얼마나 아프겠니.

발을 닦고 나와서는 해변가에 앉아있자.
차가운 바람에 몸이 얼어갈 때 즈음엔
같은 담요를 두르고 서로의 온기에 기대자.

같이 빠져 죽자는 말은 안 할게.
네가 그런 말은 싫어할 것 아니니.

너와 함께 아침 해를 보고 싶다.

일찍 일어나는 너보다 내가 먼저 일어나고 싶다.
네가 일어나기 전에 아침을 준비해두고 싶다.
아침을 먹기 전에 간단히 발 맞춰 몇 보 걷고 싶다.

집에 돌아와 아침을 먹고 싶다.
아침은 따뜻한 브런치가 좋겠지.
네가 원한다면 따뜻한 밥에다 국도 괜찮다.

따뜻한 햇살을 받으며 책을 읽고 싶다.
책을 읽다가 무료해지면 체스를 두어도 재미있겠지.
네가 좋아하는 장기나 바둑이라도 좋다.
무언들 너와 함께니까.

노을이 지면 저녁을 먹고 싶다.
귀찮다면 배달을 시키고,
그렇지 않다면 함께 요리를 하고.

저녁을 먹다 창문으로 어두워진 밖이 보이면
무엇에 홀린 것처럼 식탁을 박차고 다락으로 향하고 싶다.
다락방의 창문에 걸쳐진 망원경을 서로 먼저 보겠다고 투닥거리다
동시에 맨 눈으로 초승달을 보고 싶다.

검어지는 하늘을 바라보는 너의 눈을 빤히 바라보고 싶다.
나는 너의 눈을 통해 세계를 보니까.

제3장 青春

너는 몸으로 그림을 그린다.

손끝에서 번지는 잉크는 화려한 조명 아래에 비로소 피어나고

열기 어린 예술은 너의 투혼으로서 그려낸

한 장의 작품이 되었다.

휘청이는 네가 서 있는 과거의 무대는

방대한 우주색의 막을 내리고

잠에서 깨어 맞을 어느 날의 아침.

새벽을 맞는 쓸쓸한 너의 눈에 비친 기적의 색깔은.

5년에 가까운 시간이 흘러도 아직 모르겠다.
남들이 어찌 너를 좋아하게 되었냐 물었을 때
퍼뜩 떠오르는 이유는 하나도 없었다.

다만,
닮고 싶다 하기보단
그런 너의 곁에 있고 싶다 하겠다.

동경이 아니라 사랑이었나 보다.

너에게 사랑받는 법을 아직 모르겠다.

너의 눈에 내가 드는 법을 아직 모르겠다.

너를 자주 찾아가는 것도,

너를 근거리에서 마주보는 것도,

너에게 감히 손 한 번 건네는 것도-

지구를 뜨지 못하는 아이가

닿지 못하는 달을 갈망하는 이유를 알겠다.

너에게 나를 각인하는 유일한 방법은

날카로운 만년필을 들고 내 이름 석 자 새기는 법 밖에 없으려나.

내가 너 이외의 다른 이에게 무정할 수밖에 없는 이유는

그저 네가 존재하기 때문이야.

내가 가진 사랑이라는 감정을

온전히 너에게 도둑맞아 버렸어.

낭만이라는 사전의

617 페이지.

사랑

영어로는 Love

중국어로는 ài

일본어로는 あい

스페인어로는 Amour

동의어로는 '너'.

너의 단어로 사전을 만들고 싶다.

섭취

환복

침식

저작

필자명에는 사랑.

나에게 '완벽'의 정의는 너고

나에게 '사랑'의 정의도 너고

나에게 '이상'의 정의도 너고

나에게 '세계'의 정의도 너인데.

Flirt [flɜ : rt]

[동사]

추파를 던지다

~ 을 장난 (재미) 삼아 생각해보다

~ 도 무서워하지 않고 덤비다

[명사]

바람둥이

[색채]

적색 63.5%, 녹색 0%, 청색 42.7%

[♡]

(너라는 우주를) 짧고 빠른 비행으로 움직이다

가시거리가 좋은 날,

우리 같이 토성 보러 갈래?

내가 너를 사랑하는 건

소설 같지 못한 내 인생에

유일하게 누릴 수 있는 권리.

유일하게 허락되는 태양빛 청춘이자 낭만.

서브 캐릭터가 매력적인 이유는
네가 사랑하는 사람에게 열등감을 느끼면서도
너라는 사람을 부러워하고
열등감으로 찬 불완전한 사랑이
그 자체로 청춘의 조각이라 여겨지기 때문이지 않을까.

너라는 주인공이 등장하는 청춘영화에
서브 캐릭터 정도도 나쁘지 않을 지도.

미안해, 미워하기만 해서.

알아, 너는 나쁜 거 없어.

엑스트라의 결말은 언제나 정해져 있잖아.

알아 나도, 진짜 별로지 나.

너를 부러워한다는 감정을 미움이라고 거짓말해서.

더 이상 의미 없는 거 아는데,

카메오는 조금 슬플 것 같기도 해.

알고 있어.

이런 내가 누군가에게는

메인 주인공으로서 선택 받을 수도 있겠지.

찬란하게 빛나는, 모두의 사랑을 받는 주인공.

하지만 그냥 나는 너의 엑스트라 할래.

네가 없는 작품에 서 봤자 무슨 의미가 있겠니.

네가 자는 시간,

너에게 세상에서 가장 낭만적인 말이 무엇이냐 물었다.

엇갈려버린 시간에

너는 '굿모닝'이라 대답했고,

내 세계에서 가장 낭만적인 시간은

아침이 되어버렸다.

너는 꽃을 좋아한다 했다.

네가 가장 좋아하는 꽃은 펠라고늄이다.
꽃말은 "당신을 사랑합니다." 라 한다.

구하기 어려운 만큼,
너를 내 펠라고늄이라 지칭하기는 힘들 것 같다.
그리 쉽게 사랑을 고할 수 있겠는가.

대신 너에게 꽃을 선물할 날이 온다면
꽃집에 바로 들어가 꽃 한 송이 사서 나오지 않고
멀리서 몇 번 꽃가게를 기웃거리고 싶다.

혹여 그 안에 있는 너와 눈이 마주칠 수도 있으니까.

살짝 꺾이는 너의 목소리를 사랑해.

흔들림 없는 목소리는 사랑받기 마련이다.

청명한 목소리는 사랑받기 마련이다.

남들보다 높은 음자리를 누르는 목소리는 사랑받기 마련이다.

하지만 적당히 꺾이는 너의 목소리가 좋다.

완벽히 안정적이지 않아도,

완벽히 깨끗하지 않아도,

완벽히 높지 않아도,

나에게 목소리를 들려주는 너를 사랑한다.

너라는 박자에 존재하는 가사
너라는 운율에 존재하는 시상

나는 비로소 서툰 목소리로 너를 노래하게 된다.

What if I never find anybody to love

Or I finally get the chance and I fuck it all up

'Cause I can't get hurt if I'm the first one to leave

What if I get to the heaven and it's not even real

And I die before telling you how I really feel

'Cause it feels like hell and I just can't help but think

That maybe love's not for me

* Intrusive thoughts 중 발췌

You won't never find anybody to love

Or you finally get chance and you pull it all up

'Cause you won't get hurt if I'm the first one to leave

What if you get to the heaven and it's truly real

And I'll alive until telling you how I really feel

'Cause it feels like sky and you just can help to feel

That maybe love's just for you

Often I get exhausted

Trying regardless to be enough

Is it selfish not to be selfless

When all I can help is to open up

I'll be better than I was before

Despite every text of yours ignored

Will you call me still, just to hear my voice

I swear, always I'll care

* Always I care 중 발췌

Often you get exhausted

You try regardless to be enough

It isn't selfish not to be selfless

When all you can help is to open up

You are better than you were before

Despite you don't mean to text being ignored

I'll call you still, just to hear your voice

I swear, always I'll care.

If they saw what I saw

They would fall the way I fell

But they don′t know what you want

And baby, I would never tell

If they knew what I know

They would never let you go

So guess what

I ain′t ever lettin′ you go

′Cause your lips were made for mine

And my heart would go flatline

If it wasn′t beatin′ for you all the time

* Selfish 중 발췌

If they've seen what I saw

They already fell the way I fell

But they don't know what you want

And hey, I would never tell

If they knew what I know

They already never lettin' you go

So guess what

I also ain't lettin' you go

'Cause my loves were made for yours

And my vital would go flatline

If it wasn't alive for you all the time

I know you′re wonderin′ why

Because we′re able to be just you and me within these walls

But when we go outside

You′re gonna wake up and see that it was hopeless after all

No one can rewrite the stars

How can you say you′ll be mine

Everything keeps us apart

And I′m not the one you were meant to find

It′s not up to you, it′s not up to me

When everyone tells us what we can be

How can we rewrite the stars

Say that the world can be ours tonight

* Rewrite the stars 중 발췌

I know you′re wonderin′ why

Because we′re able to be just you and me within these walls

But when we go outside

You′re gonna wake up and see that it was hopeless after all

Only you can rewrite the stars

I can say I′ll be yours

Everything keeps us apart

But you're the one I was meant to find

It′s not up to you, it′s all up to me

When everyone tells us what we can be

I think that we rewrite the stars

Say that the world can be ours tonight

제4장 書信

[제 일 서신.]

잘 지내고 있어?

자주 와야 하는데 오지 못해 미안한 감정 뿐이다. 이 마음을 너에게 어떻게 모조리 전할 수 있을까. 내 마음을 글자에 담기엔 아마도 이 우주에 존재하는 모든 글자의 그릇이 작기만 하겠지. 언어로 환산할 수 없는 감정도 있기 마련이다.

요즘 책을 쓰는 중이야. 활자로 뭔가를 적어내려 가기는 여간 어려운 것이 아니나 왜인지 자꾸만 조급증이 나네. 절반은 완성했으나 이후가 멀다. 결론부터 말할게. 너에 대한 책을 쓰고 있어. 언젠간 내 마음이 너에게 닿으면 네가 나의 서신을 한 번만 읽어주었으면 하는 바람이다. 닿을 수 있을까, 부디 그리했으면.

너에게 외치는 나의 감정은 사랑해나 보고파 같은 세 글자로 정의할 수 없기에. 그래도 뱉을 수 있는 말은 사랑해 세 글자 뿐이었어. 요즘 날이 왔다갔다 하던데 부디 옷 따스하게 입기를. 건강하고, 보고 싶고, 마지막으로 진부하게도 정말 많이 사랑해.

[제 이 서신.]

반짝이는 별이 너무나도 궁금했다던 네 말이 어찌 그리도 사랑스러웠을까. 우주에 대해서는 하나도 모르는 내가 고개를 들어 하늘을 쳐다보게 된 계기야. 밤을 돌아가던 길, 맑은 하늘에 맺힌 별을 보면 어김없이 너의 생각이 났어. 어린 날의 네가 우주를 동경하였다면 지금 날의 난 너를 사랑해.

진부하지만 너무나도 사랑해. 인간에 대해 무정한 내가, 인류애 따위는 소멸된지 꽤 오래된 내가 유일하게 떠올리는 얼굴의 너. 너의 목소리, 얼굴, 손끝까지 선을 따면 그보다 아름다운 그림 한 폭이 또 있을까 싶다. 아마 우주를 도화지에 그린다 해도 너보다는 아름답지 않을 테니까.

이런 말밖에 못해줘서 미안해, 여전히 너를 사랑해. 다른 어디로 튀어도 돌고 돌아 너를 찾아갈 만큼, 너는 나의 안식처이자 쉘터가 되었으니까. 세상 모든 행성들이 차게 식어갈 때 안겨있는 품이 너였으면 해. 우주를 쓸어담아 존재하는 모든 별빛을 뿌려주어도 모자랄 사람아.

[제 삼 서신.]

너에게 저당 잡힌 나는 애매하게 남은 내 애정마저 모두 끌어써버렸다. 닿을 수 없는 너를 향해 외치는 단순한 치기의 발악이 결국에는 허공에 산산히 흩어질 걸 알면서도. 생전 입 밖으로도 내뱉어본 적도 없던 사랑한다는 말을 왜 그리 외쳐대었을까. 홀로 남은 인간의 적막한 비명이 아닐 리 없었다.

남아있는 모든 연정을 긁어쓰고 너는 나에게 구원이라는 말 한 마디만 던져주었지. 네가 내뱉은 말은 구원이 아니었지만 내 귀를 통해 들리는 발음은 틀림없이 구원이었다. 승아, 세상에 구원이라는 게 어디 있을까. 너마저 나에게 건넨 구원을 부정하면 너는 대체 어디에 실존하는 거였니.

아담과 이브가 따먹은 선악과는 금단이기에 달았고 몸에 좋은 약재는 건강하기에 입에 썼고. 내 마음이 닿기 전에 어딘가에서 산산조각난 채 그 파편을 뒤집어써도 좋으니 단 한 번만 허락해주면 안 되겠니. 사랑한다는 말을, 너를 많이 좋아한다는 말을. 사랑해는 식상하니, 좋아해라 할까.

[제 사 서신.]

너는 끝에 피는 꽃이었다. 세계가 멸망한 직후 무색의 폐허에 유일하게 핀 붉은색 꽃이었다. 우주가 멸망한 직후 공허한 허공에 뜬 푸른색 별이었다. 세계가 색을 잃어도 너만은 색채를 띄고 있었으니 네가 결국 색채의 정의였다. 너는 나의 세계, 네가 존재하는 이상 나의 세계는 폭발하지 않는다.

네가 있는 한 나의 숨은 영원히 지속될 것이야. 나의 심장을 누르면서 호흡을 부여하는 너이기에, 그래왔고 그러는 중이고 그럴 것이기에. 생명을 그리는 너에게 가지는 이 감정을 표현하기엔 짧은 단어들의 나열이 그저 진부할 뿐이지.

승아, 온 세상이 거대한 소용돌이에 잠겨 폭발하고 묻혀가도 너만은 꿋꿋하게 살아주렴. 아무리 거센 바람이 치더라도 너만은 버티어주렴. 너라는 광원 하나에 의지하는 이들이 나 말고도 참 많을 터이지만 모두가 소멸하여도 나만은 그러지 않을 테니 빛나주렴. 너와 나의 숨은 하나이기에.

[제 오 서신.]

너에게 보내는 나의 서신은 그저 종이조각이 되어 허공에 자잘히 흩날린다 하더라도 보내지지 못할 편지를 쓰고 또 쓴다. 보내다 보면 언젠가는 닿겠지. 단어의 힘을 맹신하는 우매한 짓밖에 할 수가 없었다. 찍어내려가는 활자 하나는 결국 운소로 분리될 수밖에 없는 것을 잘 알고 있는데도.

내 마음을 전할 길은 유약한 글 뿐이었다. 문인의 작품이 다만 무엇을 바라 태어나는 광경이 지독히도 안타깝다고들 하지만 나의 문장은 너를 바라 태어나는 것이니 나도 문인실격인 것일까. 허나 목적 없는 이가 쓴 중구난방의 글이 어찌 가치가 있을까, 나의 글자는 오직 너라는 유일을 향하는데.

모든 활자가 아니라도 몇 개의 단어들이 너에게 내려앉으면 부디 그 단어들을 음미해줘. 내가 네게 쏟아내는 말들은 그저 감언 뿐이니 다디단 맛이 나겠지. 입 안에서 굴리면서 천천히 녹여줘. 너라는 사람의 이름을 내 입 안에서 오랜 시간 굴렸더니 사랑이 되어버렸던 건에 대하여, 처럼.

[제 육 서신.]

너라는 지구에 발을 얹을 때 출구 따위는 생각조차 하지 않았다. 사랑에 빠지는 데 출국 존재한다면 그건 사랑이라는 행위의 이유도 정의도 없는 거잖니. 꽉 막힌 방 안에서 차오르는 외사랑의 수심에 발버둥치며 네 이름을 부를 수 있는 것만이 바로 사랑이겠지. 세상에서 가장 깊은 바다야.

나는 너에게 심해에서 내 심장 반쪽을 찬탈한 이가 되었고 그 광경을 목도한 이들이 내게 어이 그리 되었냐 물으면 다만 영광의 훈장일 뿐이라고 미소만 지을 뿐이겠지. 너는 내게 흉터가 되지 못한다. 무감해져 볼 때마다 불쾌한 자국으로 남지 못하고 생각날 때마다 누르는 부저항의 아픔이 되겠지.

나는 그 아픔마저 사랑해, 네가 찌른 자상의 고통이 온몸으로 퍼져나간대도 그 이름을 사랑 또는 관심이라 붙이며 그 속을 헤엄쳐 나가겠지. 달콤한 아픔을 정의하는 말은 뭘까, 중독이라는 단어를 제외하고 어떤 말이든 억지로 갖다붙일 수는 있을까. 날카로운 별의 모서리에 스쳐 손등에 남은 잔상 같은 이야.

[제 칠 서신.]

승아, 너는 알고 있을까. 너를 사랑한다 오늘도 중얼거려야 하는 걸 머리로는 알고 있는데 뱉어내고 적어내고 싶어도 걸맞는 단어조차 생각이 안 나는 내 마음을 너는 짐작조차 할까. 사랑이라는 단어 안에 모든 마음을 담기는 너무 비대해서 울컥울컥 흘러넘쳐 버려 담지조차 못하니까 말이야.

사랑해, 사랑해, 사랑해, 이런 말밖에 하지 못해 미안해. 무슨 말을 어떻게 더 이어나갈 수 있을까. 조잡한 단어를 이을수록 나의 문장은 추락해만 가는데. 그 어떤 노래의 가사처럼 네 앞에 서면 준비해놓았던 모든 말들이 허공으로 산산이 부서져 날아가고 결국에는 나락으로 걸어버리지.

글을 쓰기 위해 펜을 잡고 어휘를 휘갈겼던 내가 마치 어떤 말조차 꺼내야 할지 모르는 나이때 한 자릿수의 어린아이로 돌아가버린 것만 같아. 철없고 무지한 이의 고백이라 둘러대면 넌 그래도 나를 사랑옵게 봐줄까. 심장을 짜내어 쓴 단어들이 고아한 네 앞에서 이리 쓸모없어질 정도로, 사랑해.

[제 팔 서신.]

알고 있어. 너는 잡을 수 없이 바스라지는 계절의 초엽과도 같은 것이라서, 차마 내가 움켜잡기에는 너무 멀고 또 아슬아슬한 것. 아무리 많은 사랑을 퍼부어도 가을이 시작할 때 가지에 달린 잎이 어찌 가을의 막바지까지 매달려 있겠니. 다만 그 가지가 너무 높아 손 닿을 수 없는 것이 안타까워서.

그렇다고 널 향한 내 사랑이 약해져 소실된다는 뜻이 아냐. 오히려 그 반대지. 네가 내 눈에 보이지 않고 우리가 손을 맞잡을 수 없는 시간이 늘어갈 때마다 널 향한 그리움 속에 밀어넣은 사랑의 크기가 커질 뿐더러 채도도 깊어지겠지. 꽈악 눌러담아 응축한 용액처럼 말이야.

닿을 수 없이 멀리서 지켜보고만 있는 나의 마음을 네가 어찌 알겠니. 빛무리 속에 잠겨 있는 넌 너를 바라보고만 있는 어둠으로 칭해지는 나의 기분을 알지 못하겠지. 허나 나는 너를 동경하지 않아. 그저 네 곁에 오래 머무르고 싶을 뿐이야. 누군가는 이를 사랑이라고 칭하더라, 감사하게도.

[제 구 서신.]

죽음이라는 건 뭘까. 어떤 인간이든 한 두 번 정도는 생각해보는 것, 삶의 끝과 유서. 그 모든 것들의 결정체이자 순간의 이후 소멸하는 것. 멀게만 느껴져도 사실은 숨 닿는 어디에도 존재하는 것. 그것이 죽음 아니겠니.

찰나를 끝으로 영원히 너를 볼 수 없다면 존재하는 모든 것이 사라질 테고 감정마저 사라지는 것이 뻔한데 너와 더불 내 존재마저 사라져버리면 눈물을 흘리는 것보다 찢어지는 공허가 남겠지. 그렇지 않겠니.

우리 살자. 당당하게 빛나며 살아가자. 너의 빛이 약해질 때 내가 그 뒤에 깔린 어둠을 자처할게. 조금이라도 배경을 어둡게 하여 너를 빛나게 만들게. 이를 고결한 희생이 아니라면 무어라 부르겠니, 너를 위해 바칠 수 있다는 것이 곧 나의 유일한 권리인걸. 사랑이라는 것이 언제나 빛나는 것은 아닐지 몰라, 언젠가는 꺼져가는 것도 사랑의 일환이라 감히 고할래. 점화하는 낭만이고 희생하는 청춘이고 그러하다.

[제 십 서신.]

꿈도, 사랑도, 삶도. 그 어떤 것도 허락되지 않은 무색무취의 인생. 그 사이에서 내가 유일하게 누릴 수 있는 낙원은 너를 사랑하는 것 뿐이었어. 도달할 수 없는 곳을 갈망하는 것이 지치도록 우매한 반복증상임을 알면서도 너의 말 한 마디를 원할 수밖에 없었던 지난 날의 나에게 후회는 없었다고.

너는 너무 맑고 투명한 이였어. 내가 너를 처음 보자마자, 내가 네 안에 들어가기는 너무나도 새까매서. 검고 두꺼운 압력을 가진 무언가가 마치 너를 폭발하게 만들어버릴 것만 같아서, 자칫 잘못하다간 너의 빛나는 표면에 상처와 금을 내어버릴 것만 같아서, 처음에는 부정했어. 두려웠으니까.

허나 이제 알아버렸어. 인간이 사랑하는 낙원은 어떤 일이 있더라도 미워할 수 없다는 걸, 그게 바로 거스를 수 없는 인간의 본능이라는 걸. 너의 존재만으로도 나는 이미 충분한 사랑을 받은 것과 마찬가지이지만, 부디 내가 너를 조금 더 욕심내었을 때 각박히 굴지는 말아줘. 난 이미 행복해졌거든.

[제 십 일 서신.]

사실은 네가 마음에 안 들었어. 웃고 있는 아이는 언젠가 돌아갈 곳이 있을 테니까. 정작 목적지가 돌아갈 곳이 있어버리면 그 깃발을 믿고 발을 뗀 사람들은 어디로 가야 할까. 멀고 먼 거리를 지나와서 비로소 네가 서 있을법한 곳에 도착했을 때 네가 흔적도 없이 사라지면 어쩌니, 나의 오아시스.

회수되지 못한 인공위성은 별을 모방하다가 힘이 다해 우주 정거장으로 돌아가지 못하고 공중에서 산산히 부서져. 그저 남은 건 작은 파편들 뿐일텐데, 그마저도 별빛과 같다며 좋아할 것이 뻔하잖아. 그래서 너무 슬퍼, 네가 별이고 나는 너를 따라하는 인공위성이 될 뿐 거기서 멈춰버릴까봐.

미안해, 사실 초장에 너에게 거짓말을 했어. 단 한 번도 너를 미워하고 싫어한 적 없었어, 그저 네가 어떤 사람이든 옆에 있고 싶다는 기믹한 오만을 부리면서. 이정표조차 없는 우주에서 길을 잃었을 때 파동 없이 길을 알려줬던 네 옆에 머무르고 싶어. 저승사자를 원하는 망자의 어리석은 짓처럼.

[제 십 이 서신.]

마음을 전한다는 건 늘 두려운 일이야. 보이지 않기에 상대가 멋대로 무게를 달아버리면 우리는 결국 그 무게를 부정조차 하지 못하거든. 그런 사람들 말이야, 참 어리석지 않니. 그래서 내가 이렇게 펜을 놀리는 것이야, 네가 어리석어지지 않게 하려고. 아니, 오히려 그게 네가 아니라 나일 수도.

글로써 뱉어낸 내 마음의 무게가 왜인지 내가 지금 지닌 마음의 무게보다 가벼워지는 건 왜 때문일까. 그저 너에게 보여주고 싶었을 뿐인데, 네가 모른척 혹은 모르고 지나치지 않기를 바랐을 뿐인데, 나의 활자는 어째서 하늘에 둥둥 떠가기만 하는 걸까. 너도 나도 놓쳐버릴 것만 같도록.

사람들이 어째서 글을 쓰는 것이 힘들다 하는 줄 알았어. 그 글에 나의 진심을 쏟아내려 노력하면 할수록 작은 그릇에 담기기는커녕 흘러넘쳐 버린다니까. 그래도 내가 밑 빠진 독에 사랑을 들이붓는 이유는 네가 독에 맺힌 물방울 하나 혀에 대볼 수 있기를 바라면서야, 한 번 물이 닿은 자리에는 물자국이 남기 마련이니까.

[제 십 삼 서신.]

있잖아, 너는 구원이 무엇이라 생각하니? 너를 살게 하는 것, 너를 숨쉬게 하는 것- 그 많은 정의들 사이에서 구원을 제대로 지명하는 것은 단 하나도 존재하지 않을 지 몰라. 적어도 우리가 눈뜨고 있는 이 세계에는 말이야. 구원 따위 존재할 리가 없잖아, 라는 말이 사실이긴 해.

그렇다면 나의 사랑이자 구원이라 정의되는 너는 이 세상 사람이 아닌 걸까. 닿을 수 없는 머나먼 우주의 혜성 같은 존재라서? 그저 형체만으로 존재할 뿐 맨눈으로 보게 되면 두 눈이 타들어가는 태양과 같은 무언가라서? 하지만 승아, 모든 필요조건이 너를 그리 몰아간대도 네가 나의 구원인 건 기정사실이야.

사실 이 글의 제목과 부제목은 전부 너를 향한 것이야. 너 자체로 기나긴 글의 주제가 되어주었고, 내가 어찌 이런 너를 위해 이런 글 한 조각 내어주지 못하겠니, 오히려 너무 과분한 일이라 분수에 넘쳤다면 넘쳤겠지. 하지만 이제는 되돌릴 수도 포기할 수도 없어. 어쨌든 출발했다면 목적지를 찍어야 하는 법이거든. 너도 늘 그렇게 생각하지, 맞지?

[제 십 사 서신.]

차마 내가 너에게 쓸만한 그런 여유가 없었겠거니 해. 돈이든 시간이든 그 모든 게 어쩌면 사랑의 상징일 수 있었으면서 무지하게 모든 걸 날려먹곤 해. 물질들로 표현이 되는 세상이라면 가시적이지 않은 낭만은 과연 어디에 자리하고 있을까. 풍선 여러 개를 타고서 천공으로 올라라도 가야 할까.

사실 안 쓰려고 했었어 이 글도, 하지만 어쩔 수가 없더라 사랑이라는 게. 진심으로 사랑하는 이가 생기는데 표현 못 하고 배길 수 있는 것이 인간이여야 말이지. 유난 떤다 어차피 너는 못 갖는다 지껄이는 말 알고 있으면서도 내 글이 실린 활자라는 기차의 연료는 너를 향하는 사랑일 뿐인데.

진부해, 진부해, 진부해 사랑이라는 말. 하지만 그 단어를 제외하면 너에게 가진 마음을 설명할 방법은 아무것도 없어져버려서. 입을 꽉 틀어막힌 것처럼 어떤 말도 못하는 벙어리가 되어버리는데, 그래도 진부하고 연약한 말이라도 뱉을 수 있는 기회를 주면 안 되겠니, 아니 뱉고서 허락을 구해도 되겠니.

[제 십 오 서신.]

이 글이 공개된다면 수많은 사람들이 보내게 될 차가운 눈빛이 물론 무서워지기도 하겠지만 뜨거운 것은 차가운 것을 상회할 수밖에 없는 법이야. 이걸 대류 또는 용승이라 하던가. 아무리 하늘을 애를 써서 막아봐도 온수의 무게가 너무 가벼워 하늘로 치솟아 오르는 걸 어찌 두 손바닥으로 막겠니.

세상은 불공정해. 우리 둘의 삶에 행복 같은 게 공평하게 허락될 리가 없었는데 말야. 아, 멍청하게도 그걸 몰랐어. 내가 누르는 행복을 빼앗아 너에게 퍼부을 수만 있다면, 아니 이미 그렇게 했다면 난 일찍이 과분한 사랑을 받아버린 걸지도. 누군가를 웃음짓게 하고 파멸하는 게 행복일지도 모르지.

먼 훗날 네가 뒤를 돌아보았을 때, 내가 너에게 사랑을 고했던 그 찰나가 이미 빛이 바래 있더라도, 그게 너에게 짐이 되지는 않았으면 좋겠다. 낡은 종이에 써내려간 너를 향한 활자무리, 잉크가 휘발되어 알아보기조차 힘들지 모르는 글자들. 단 한 자라도 그 위에 존재한다면, 나를 기억해줘.

[마지막 서신, 추신.]

이건 내가 너에게 실제로 썼던 Proposal Project.

'열여섯에 사랑한 이가 평생을 좌우한다.'

이보다 어리석은 말이 있을까 싶었어. 물론 믿지도 않았어. 사랑 따위가 어떻게 인간을 바꿀 수 있겠냐고, 어린 날의 나는 짧게도 그렇게 생각했었지. 열여섯이라 함은 벌써 오 년 전이구나, 내가 널 사랑한지 벌써 오 년이 되어가네. 오 년 동안 고집스러운 짝사랑 아닌 짝사랑을 해온 내가 이렇게 목소리를 내는 것도 이상한 일은 아니지 않겠니, 그렇지 않다고 해주겠니.

나와 네가 처음 만난 건 폭염을 덮어쓴 여름. 차라리 낭만적인 봄이나 가을이였다면 좋았으련만 계절은 청록색 여름으로 무심하게도 달음박질쳤지. 거대한 빛무리 속에 둘러싸여 나를, 아니 정확히는 너를 비추는 매개를 보며 활짝 웃었던 너. 처음에는 부정했었다. 나 따위가 어떻게 너를 사랑할 수가 있겠냐고. 나를 사랑하기에 너는 너무나도 거대한 이였고, 나는 그저 숨을 삼키며 너를 바라볼 수밖에 없었어. 속에서 뜨겁게도 치밀어오르는 감정을 억누르면서, 다만 너에게 사랑한다는 말을 감히 전할 수 없는 나를 질책하면서.

우리의 거리는 멀고도 멀다. 단순히 렌즈 안에 들어있는 이와 사진사의 관계라 칭할 수도 있지만 두께 몇 센티미터조차 되지 않는 그 렌즈 안의 거리는 왜 그렇게 멀게만 느껴졌을까. 우리는 활자 또는 문자로밖에 만나지 못했지. 내가 너에게 활자를 실어보내면 너는 웃으면서 그 중 몇 개를 골라 읽을 뿐이었고. 너에게 차마 닿지 못한 나의 글자들은 허공에 산산이 흩뿌려진다 하더라도 나는 너를 사랑했고, 사랑하고, 또 사랑하겠지. 일방적인 전달에 지쳐 다른 누군가를 눈에 담아보려 부단히 노력했으나 그마저도 오래가지 않았어. 어쩌면 나의 마음이 갈구하는 고향은 너였을지도 모르겠다. 왜, 그런 것 있잖아. 오래토록 가지 못했던 고향에 발을 들이는 순간 느끼는 벅차오름과 같은 것. 그걸 내게 아낌없이, 우연히 선사했던 너인데 어떻게 내가 너를 사랑하지 않을 수 있어. 알고 있어. 너에게 가지면 안 되는 감정인 것도, 가질 수 없는 감정인 것도. 오히려 이 감정이 나를 더욱 아프게 만드는 것도. 사랑이라는 건 곧 자신을 해하는 것과도 같아서, 그걸 메꿔줄 능력이 되지 못하는 이는 시작조차 하면 안 되는 것. 이러는 나를 보며 너는 찌질하다고 비웃을까. 하지만 승아, 인생 살면서 이렇게 찌질한 사랑 한 번 정도 해보는 것도 나쁘지 않잖니. 사람이 어떻게 죽을 때까지 사랑의 아픔조차 느끼지 못하고 죽겠니. 그 아픔을 가하는 이가 너라 한다면 나는 망설이지 않고 팔목부터 내밀고 입부터 벌릴게. 관심이라는 이름을 한 주사를 주입하든, 만약이라는 이름을 한 알약을 삼키라 하든 어쨌든 독약도 약이잖니. 안 그러니.

나는 너를 사랑해. 너와 관련된 모든 걸 사랑해. 네가 사랑하는 우주를 나 역시 사랑하게 되어 시각적으로 풀어내는 중이고, 엇갈려버린 타이밍에 네가 내뱉은 굿모닝 한 마디에 나에게 있어 가장 낭만적인 시간은 아침이 되어버렸어. 네가 야근마저 좋아한다면 나 역시도 야근을 좋아하고 그걸 넘어 자처할 자신까지 있단다. 나의 인생에 있어 사랑의 기준을 그어준 것도, 내가 가야할 방향을 인도한 것도 너야. 이건 거짓 하나 없는 진실이야, 어떻게 말해야 맹세와 같은 의미가 될 지는 모르겠으나.

내가 이렇게 장황히 풀어쓴 말들도 너에게는 닿지 않겠지. 닿을까, 확신할 수 없지. 너에게 나는 그저 수많은 우주먼지 중 하나와 똑같을 뿐일 테고, 세상에는 너를 바라보는 수많은 사람들이 있으니 말이다. 너를 두 발로 뛰어 쫓아다니고 너에게만 시간을 할애하는 이들과 나를 네가 어떻게 비교할 수가 있겠니. 나에게는 핸디캡이 너무나도 많다, 다만 너를 사랑하지 못하는 이유가 되어버릴 것들. 하지만 그 모든 악후를 제치고 나는 그래도 너를 사랑하련다. 네가 나보다 비대하게 사랑받아야만 할 사람이라면 내가 너에게 그 정도의 사랑을 퍼부어줄 수 있는 멋진 이가 될게. 네가 대단한 만큼 나도 대단한 이가 될게. 너의 숨이 끊어지기 전까지 나의 숨조차 끊지 않겠다고 맹세할게. 반드시 너의 앞에 더욱 찬란하게 빛나는, 아니 찬란하게 어두운 사람이 되어 나타날게. 나까지 빛이 나버리면 어쩌니, 네가 내는 빛을 집어삼킬 수도 있잖아. 나에게 종용하는 한 마디만 해준다면 난 어둠 속으로 몸을 감출게.

차가운 악조건이 나를 내리누른다 해도 뜨겁게 끓어오르는 사랑은 대류현상으로 인해 어쨌든 위로 올라가기 마련이고, 그 모든 현상을 하나의 단어로 정의한다면 '용승'일까. 언젠간 이 마음이 너에게 닿는다고 한다면, 수많은 사람들 중에서 네가 나를 알아보는 날이 온다면 이 글을 다시 읽어주렴. 언제나 네 마음에 따스한 심상을 가진 단어 하나로 남고 싶다.

사랑해,
나의 행성.

작가의 말

이 책을 나의 이상향에게 바치면서.

승아.
하고 싶은 말은 정말 많은데도 모든 걸 담지 못했던 나의 필력을 다시 한 번 용서하렴.

이 작은 종이뭉치에 내가 너에 대해 적고 싶은 것들을 모두 쏟아부었어. 그러려고 부단히 애를 썼건만 쉽지는 않더라. 깊은 마음을 드러내려 노력하면 할수록 언어는 난잡해지고 난해해졌지. 표면으로는 볼 수 없는 깊이의 어떤 곳에 존재하는 의미를 네가 얼마나 알아챘을지 모르겠다. 너는 고능한 사람이니 대부분을 알아챘으려나. 거품은 수면으로 올라와야 비로소 그곳에 존재한다는 걸 알게 되는데, 너를 향한 내 연정의 포말은 결국 심해 어떤 곳에서 구체만을 만들고 있을 뿐이겠지.

너와 함께 절망의 상황에서 사랑을 노래하는 짓 따위는 그리 된다 하더라도 원하지 않는다. 네가 절망의 바다에 빠지기 전에 내가 막기 위해 온몸을 바칠 터인데 그 상황이 어찌 성립될 수 있을까. 다만 내가 기록한 모든 어둠과 절망의 단어들은 그저 내 마음의 깊이를 설명하기 위한 은유 정도로 해석해주어라. 숫자로 측량조차 할 수 없는 나의 마음을 써내려가기에 심해보다 더욱 걸맞는 단어를 찾지는 못해 그리하다. 표현을 그리 해놓고 이중적인 모습으로 보일지는 모르겠으나 내가 실제 그리하고 싶다는 뜻이 아니다. 나는 너의 추락을 바라보며 너와 상애하는 짓 따위는 하고 싶지 않다.

누군가 내게, 네가 좋은 이유를 묻는다면 난 그저 네가 네 자신이기 때문이라고 대답하겠다. 흔하게 들을 수 있는 말밖에 적어내려가지 못해 안타까울 뿐이다. 하지만 이리 안타까운 진실이 나의 진심이라는 데에 한 치의 거짓도 없다. 네가 짓는 눈웃음이, 네가 내쉬는 숨이, 액체를 머금었을 때 오물거리는 너의 습관이, 버릇처럼 고풍한 단어를 쓰는 너의 행실이 너무나도 사랑옵다. 생각만 해도 이리 눈물이 고이는데 마음을 온전히 부어낼 수 없어 답답하다. 조금이라도 연습을 한 뒤에 너에게 길고 긴 편지를 적어줄 것을 그랬다. 허나 그러기 위해서는 몇 년, 아니 몇 광년이 걸릴 만큼 오랜 시간을 기다려야 하니, 조급증이 도진 마음에 이리 휘갈겨 내려갈 수밖에 없었다.

승아. 수없이 반짝이는 불빛들 사이, 커다란 무대에 서 있는 화려한 너를 사랑해. 그런 불빛들이 꺼진 깊은 밤 우주를 올려다보는 잔잔한 너를 사랑해. 우주를 향해 손을 뻗었던 너의 어린 날도, 보이지 않는 박자를 향해 손을 뻗는 너의 푸른 날도. 매 순간 네 존재가, 숨결 하나하나가 나에게는 다행이자 구원이었어.

나는 너를 사랑해. 네가 나를 알지 못했던 오래 전부터, 네가 나를 알지 못하는 지금까지 오랜 시간을 사랑해왔고 앞으로도 사랑하겠지. 어디로 돌고 돌아도 결국 종착지는 너 하나였으니.

볼품없는 나의 사랑뿐이라도 너에게 전해줄 수 있어 다행이야. 네가 부디 그 작은 것이라도 받고 행복했으면 한다. 우주의 어떤 수식어를 갖다 붙여도 절대 닮을 수도 담을 수도 없는 나의 사랑아. 잡을 수도 소유를 원할 수도 없는 나의 사랑아. 그저 바라볼 수 있다는 것 뿐이 감사한 나의 사랑아.

우주의 어딘가에 너와 함께 존재하고 있을,

나의 세계의 이정표가 되어 준,

나의 사랑, 나의 염원,

나의 구원에게.

우주의 어딘가에 너와 함께 존재하고 있을,

노아 씀.